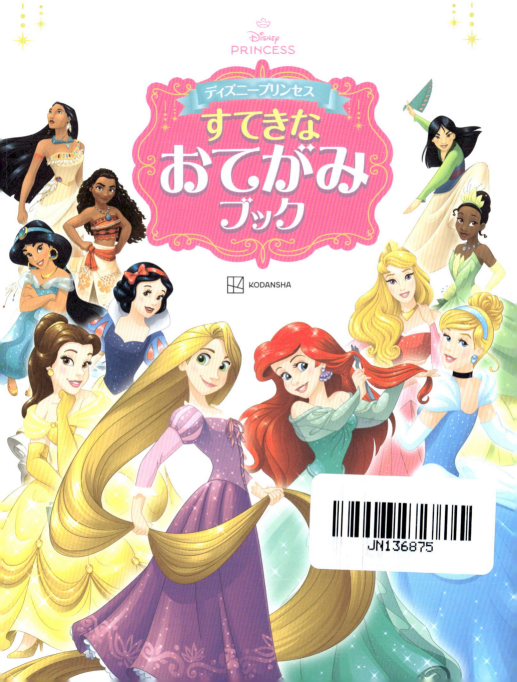

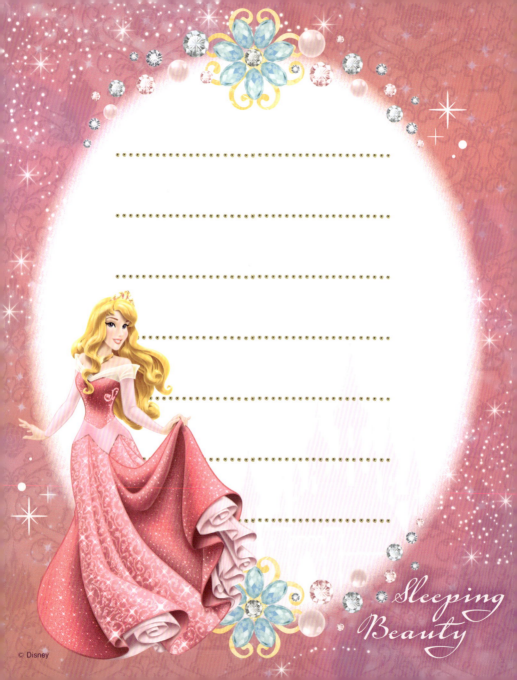

Dear
....

From
....

Dear
....

From
....

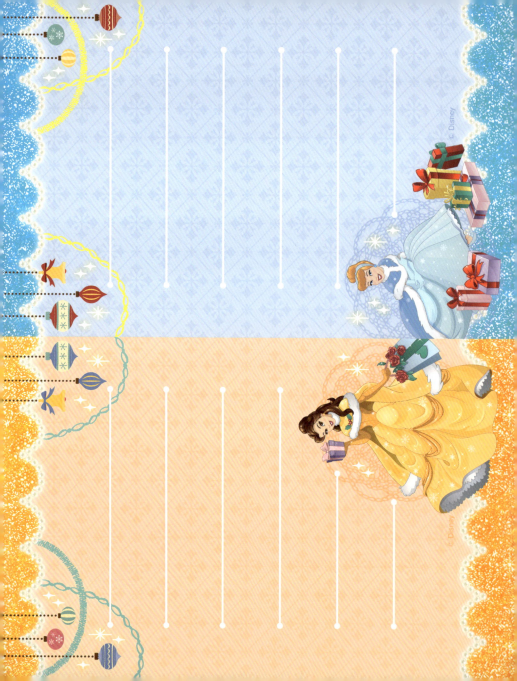

より へ

より へ

ハート（はーと）おてがみの おりかた

おりかた
- やまおり ‐ ‐ ‐ ‐ ‐
- たにおり ------------
- ちゅうしんせん ················

1

よこむきで うらめんに した おてがみを、よこ はんぶんに たにおり します。

2

ちゅうしんせんに あうように しながら、さゆうを うえに むけて おります。

3

りょうはしに たてに はいって いる てんせんに そって、やまおり します。

4

うえがわに ある さゆうの てんせんを、それぞれ いちど ぎゅっと たにおり し、おりすじを つけて もどします。

5

④で つけた おりすじの とがった ぶぶんを、したむきに おしこみます。

6
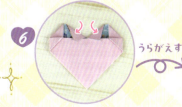

うえがわに ある ちゅうしんぶの てんせんを、それぞれ たにおり します。

かんせいです！

②で はんたいがわに おると、ちがう いろの ハートを つくる ことが できます。

ひみつおてがみの おりかた

> **おりかた**
> たにおり -----------
> （おもてめんに はいっています）

1

うらめんに し、みぎうえの かどが いちばん たかく なるよう ななめに おき、さゆうの かどを たにおり します。

2

ひだりうえと みぎしたを、はんぶんに たにおり します。

3

したの かどを ひだりの かどに、うえの かどを みぎの かどに あうよう、それぞれ たにおり して、さんかくけいの なかに いれこみます。

4 ✨かんせいです！